KB096594

저자소개

지승주 TOTOJI

저자는 스타키 보청기 종로센터에서 15 년째 센터장으로 재직 중인 준 의료인으로서, 난청인에게 보청기 착용을 위한 보청기 상담, 청력검사, 보청기 조절, 보청기 관리 등의 업무를 하고 있다.

청능사, 청각사, 청각관리사 등의 자격증을 취득하고 있으며, 업무에 시너지 효과를 낼 수 있는 다양한 분야의 자격증도 보유하고 있다.

또한, 한국 AI 작가협회 주관한 AI 강사양성과정을 이수하였고,

이를 계기로

<신중년을 위한 세상에서 가장 쉬운 AI 가이드>(부크크 2023.12.01.)
<소리의 선물: 보청기의 역할과 중요성>(부크크 2024. 03.08.)
<마법 같은 순간들: 미아의 고군분투 이야기>(부크크 2024.04.11)
이라는 종이책과 전자책을 출판하였다.

이메일 stepano0116@gmail.com

블로그 https://blog.naver.com/7337713

저자소개

김예은 Novaedu

[이력]

 현) 한국 AI 작가협회 이사장

 현) 한국빅데이터교육협회 교육이사

 현) WCC 1 기(뤼튼공인컨설턴트)

 전) 고려아카데미컨설팅 기업체 강의평가전문위원

 전) 서울시교육연수원 전문강사(IT 분야)

[저서]

● 제페토빌드잇 사용방법

● 메타버스 200% 활용방법

● 나만의 정원 메타버스

● 챗 GPT 업무에 쉽게 활용하기(건축감리실전편/인테리어건축)

● 로봇터틀과 함께하는 미래여행(기초편/심화편)

[전시 이력]

● 2022 선물 NFT 콜렉션 그룹전, 프랑스 툴루즈/스페이셜

● 2023 이시카와 NFT 한일 그룹전, 이시카와 하모니 갤러리

● 2023 한/중/일 AI 르네상스 그룹전, 아트볼 갤러리 청담

● 2023 귀여운 큰 나들이 전시 Season2, 성남 메종 브레첼

● 2023 UCL Winter Collection NFT 그룹전/ 매봉 CAFE HYPE

● 2023 PCW NFT Exhibition in TOKUSIMA 그룹전, 일본 도쿠시마

● 2023 가장 전통적인 공간과 메타버스의 만남 그룹전, 북촌한옥마을

● 2023 정부혁신박람회 그룹전, 부산 벡스코 제 2 전시장

● 2023 Pararell Universe 展 1st 그룹전, YMCA 다오아트스페이스

● 2024 Pararell Universe 展 2st 그룹전, 인도 우미라 아트 갤러리

● 2024 그림책 마음을 잇다, 인사동

Email.   yeeun742@gmail.com

SNS.   https://www.instagram.com/novaedu.artist/

             https://x.com/metatrip_edu

Channel.   https://www.youtube.com/@metaedu77

             https://blog.naver.com/elley2/

Novaedu 프롬프트로 그리는 AI 그림 (AI 그림, 토토지와 함께 펼쳐봐!)

지승주 TOTOJI, 김예은 Novaedu 지음

BOOKK

머리말

AI 가 만든 예술의 흥미진진한 세계에 오신 것을 환영합니다! " Novaedu 프롬프트로 그리는 AI 그림(AI 그림, 토토지와 함께 펼쳐봐!)"에서 이 책은 독자들이 이전과는 전혀 다른 방식으로 기술과 상상력을 혼합하는 창의적인 여정을 시작하도록 초대합니다.

이 책은 예술 영역에서 인공지능의 놀라운 능력을 탐색할 때 친절한 안내자가 되도록 출간되었습니다. Novaedu 의 혁신적인 프롬프트와 AI 아티스트 친구 TOTOJI 의 매력적인 안내를 통해 독자들은 AI 아트가 얼마나 재미 있고 접근하기 쉬운지 발견하게 될 것입니다.

당신이 발견하게 될 것:

노바에두 프롬프트로 AI 아트 만들기

이 책의 실용적인 접근 방식을 강조합니다. 독자들은 Novaedu 가 신중하게 선택해서 제공한 프롬프트를 사용하여 디지털 걸작에 영감을 주고 형성하는 방법을 배우게 됩니다.

토토지와 AI 아트를 펼쳐보세요!

이 부분에서는 AI 예술 창작의 인터랙티브하고 즐거운 경험에 중점을 둡니다. TOTOJI 는 여러분의 예술적 잠재력을 펼치고 그 과정을 흥미롭고 즐겁게 만드는 동반자가 될 것입니다.

AI 에 대해 호기심이 있는 초보자이든, 새로운 매체를 탐구하려는 숙련된 예술가이든, 이 책은 모든 사람을 위한 내용을 담고 있습니다. 독자에게 기본 사항을 안내하고, 영감을 주는 프롬프트를 제공하며, AI 의 도움으로 창의적인 비전을 현실로 구현하는 방법을 보여줍니다.

모든 페이지에서 독자는 AI 가 어떻게 창의력을 향상하고 예술의 새로운 가능성을 열어줄 수 있는지에 대한 새로운 통찰력을 얻게 될 것입니다. 이 책은 여러분이 디지털 도구를 잡고, TOTOJI 의 리드를 따르고, AI 예술의 놀라운 세계에 빠져들도록 권장합니다.

창의성과 혁신의 여정에 오신 것을 환영합니다.

AI 아트의 경이로움을 함께 펼쳐보세요!

일러두기

Novaedu 와 TOTOJI 와 함께 AI 생성 예술의 창의적인 도전에 오신 것을 환영합니다! 이 책은 기술과 창의성이 함께 어우러지는 독특하고 매력적인 과정을 안내합니다. 이 챌린지에서 따라야 할 단계는 다음과 같습니다.

Novaedu 는 이미지를 제공합니다.

노바에두는 초기 이미지를 제공하여 챌린지를 시작합니다. 이 이미지는 전체 창작 과정에 영감을 줍니다.

TOTOJI 는 프롬프트로 이미지를 설명합니다.

TOTOJI는 주어진 이미지를 분석하고 해당 이미지의 특징을 기반으로 설명 프롬프트를 생성합니다. 이 단계에서는 시각적 요소를 자세한 텍스트 설명으로 변환하는 데 중점을 둡니다.

프롬프트에서 이미지 생성

TOTOJI 가 생성한 프롬프트를 사용하여 AI 모델이 새로운 이미지를 생성합니다. 이 단계에서는 AI 가 텍스트 설명을 해석하여 시각 예술을 제작하는 방법을 보여줍니다.

Novaedu 는 원본 이미지의 프롬프트를 제공합니다.

Novaedu 는 초기 이미지를 생성하는 데 사용된 프롬프트를 표시합니다. 이를 통해 원래 프롬프트와 TOTOJI 에서 만든 프롬프트를 비교할 수 있습니다.

TOTOJI 는 제공된 프롬프트를 수정합니다.

TOTOJI 는 원본 메시지를 가지고 창의적으로 조정하고 변형합니다. 이 수정된 프롬프트는 새롭고 독특한 예술 작품을 생성하는 데 사용됩니다.

이러한 단계를 통해 독자들은 인간의 창의성과 AI 능력 간의 흥미로운 상호작용을 목격하게 될 것입니다. 챌린지의 각 단계는 설명과 프롬프트가 예술적 결과물에 어떻게 영향을 미칠 수 있는지 보여주며 풍부하고 다양한 AI 생성 예술 컬렉션으로 이어집니다.

노바에두와 토토지가 함께 AI 아트를 만들고 탐구하는 여정을 즐겨보세요

목 차

DES.240501

Let's study the prompts on the topic of travel.

The back of a girl expressing her excitement about traveling in front of a map of the world

여행을 주제로 프롬프트를 공부하자.

세계지도 앞에서 여행의 들뜬 마음을 표현한 소녀의 뒷모습

TOTOJI240501DES.

Here are the images depicting a 25-year-old woman looking at a world map, cheering excitedly with her arms outstretched, and a travel suitcase on the floor to her left. She is wearing a backpack.

세계 지도를 바라보며 팔을 뻗은 채 신나게 환호하는 25 세 여성의 모습과 왼쪽 바닥에 여행가방을 올려놓은 모습이 담겨 있다. 그녀는 배낭을 착용하고 있습니다.

PROMPT240501

A cartoon illustration of a 20-year-old teenager is standing, dressed in a long dress and a travel backpack on her back, on an old suitcase, a teenager with her back to us, spreading her arms in front of a world map, 4k, sabby chic style, in shades of pink, beige and light turquoise, with a white background

20 살 10 대의 만화 일러스트, 긴 드레스와 여행용 배낭을 등에 메고 낡은 여행 가방 위에 서 있는 10 대, 우리를 등지고 세계지도 앞에서 팔을 벌리고 있는 10 대, 4k, 사비 치 스타일, 흰색 배경에 핑크, 베이지 및 밝은 청록색 음영.

위에서 20-year-old, 색상 등을 바꿔보세요. sabby chic style: 빈티지와 코티지 요소를 부드럽고 로맨틱한 색상과 질감으로 혼합하여 우아하면서도 낡고 환영받는 모습을 연출. 그리고 그림자를 은은하게 핑크색으로 넣었어요 ^

A cartoon illustration of a 13-year-old teenager with hearing aids, a teenager standing on the right side of a newly purchased red suitcase with a long dress and a travel backpack on her back, a teenager with her back and arms spread in a V-shape in front of a world map, a style of sabich, pink, beige and bright teal shades against a white background

보청기를 끼고 있는 13살 10대의 만화 일러스트, 긴 드레스와 여행용 배낭을 등에 메고 새로 구입한 빨간 여행 가방 오른쪽에 서 있는 10대, 우리를 등지고 세계지도 앞에서 양팔을 V자 형태로 벌리고 있는 10대, 4k, 사비 치 스타일, 흰색 배경에 핑크, 베이지 및 밝은 청록색 음영

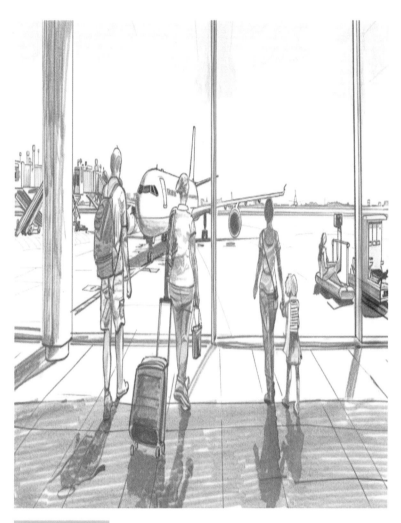

DES. 240502

여행을 가야지 하고 마음을 먹고 비행기를 타러
가는 모습.

Incheon International Airport, two parents and two sisters, father Benang, mother's left hand is a suitcase, right hand is a handbag, two sisters are in a waiting room holding hands to catch an airplane, and three very small planes are also seen near the airport. A realistic image, the sun shines at noon, and the family creates a shadow behind it.

인천공항, 여객기 탑승 전, 부모와 자매 2 명, 아빠는 배낭, 엄마의 왼손은 여행용 가방을, 오른손은 핸드백, 자매 2 명은 간편한 복장에 손잡고 비행기 타러 가는 대합실 모습, 공항의 저 멀리 아주 작은 비행기도 3 대 보인다. 사실형 이미지, 햇볕은 정오 시각 비춰는 햇살로 가족은 뒤편으로 그림자가 생성된다.

PROMPT240502

Family arriving at an airport, storyboard illustration, in blue marker with a white background.

공항에 도착하는 가족, 스토리보드 일러스트레이션, 흰색 배경에 파란색 마커 사용. 여기서 중요한 것은 in blue marker 파란색 마커로 그린 거라는 것과 storyboard illustration 이란 거에요. ^^

스토리보드는 1920 년에 디즈니에서 애니메이션을 만들었을 때 처음 도입되었다고 합니다.

실제 작업을 하기 전에 많이 사용되는데 시각화, 기억력, 공감대, 실행력을 표현하기 좋다고 합니다.

TOTOJI240502PROMPT

This is the scene of the airport gate. There are four people, three of whom are standing on a plane parked on a runway that is ready to depart or just arrived, looking out the big window. It suggests that it may be early morning or between peak travel season. Blue tones and sketch styles give the image an artistic and slightly abstract feel.

공항 게이트의 장면이다. 네 사람이 있는데 그 중 세 명은 출발 준비가 되었거나 막 도착한 활주로에 주차된 비행기를 서서 큰 창밖으로 바라보고 있습니다. 이른 아침이거나 여행 성수기 사이일 수 있음을 시사합니다. 파란색 톤과 스케치 스타일은 이미지에 예술적이고 약간 추상적인 느낌을 줍니다.

DES.240503

이제 비행기를 타서 자리를 찾아가는 모습.

Here's the image of the interior of a modern passenger airplane, capturing the perspective from the back of the plane with passengers seated. The atmosphere reflects the excitement of travel, depicted with vibrant colors and realistic details. You can see the image above.

많은 승객이 탑승한 여객기 내부모습으로, 좌석에 앉아 앞을 보는 모습으로 뒤 머리와 약간의 어깨까지 보임, 뒤에서 바라보는 시선 처리를 한다. 여객기 내부는 현대식으로 깨끗한 분위기이미, 머리위에 수납 칸, 좌석, 길게 앞으로 뻗은 통로까지 설명,

여행으로 들뜬 분위기의 생동감 있는 색상, 일러스트, 사실적, 비행기 뒤쪽에서 바라보는 관점,

PROMPT240503

A cartoon for mobile game 2d, the interior of an airplane, The scene should depict the inside of a commercial aircraft cabin with passengers seated, attending flight attendants, overhead compartments, and detailed seat designs, in the style of realistic cartoon, luxurious, 3d,

모바일 게임용 만화 2D, 비행기 내부, 장면은 승객이 앉아있는 상용 항공기 객실 내부, 승무원, 머리 위 칸, 세부 좌석 디자인을 사실적인 만화, 고급스러운 3D 스타일로 묘사해야 합니다,

여기서 중요한 것은 a cartoon for mobile game 2d 와 사실적인 만화라는 in the style of realistic cartoon 이에요. 그리고 저 앞에 있는 사람들이 승무원 attending flight attendants 에요.

TOTOJI240503PROMPT

Cartoon 3D for mobile game, airplane interior, scene shows interior of commercial aircraft cabin with passengers sitting, flight attendants, overhead compartment, detailed seat design, realistic cartoon, view from back to front of airliner interior, pink uniforms in aisle Two female flight attendants, must be depicted in luxurious 3D style,

모바일 게임용 만화 3D, 비행기 내부, 장면은 승객이 앉아있는 상용 항공기 객실 내부, 승무원, 머리 위 칸, 세부 좌석 디자인을 사실적인 만화, 여객기 내부 뒷면에서 앞쪽을 바라보는 뷰, 통로에 핑크색 유니폼을 입고 있는 여 승무원 2 명, 고급스러운 3D 스타일로 묘사해야 합니다,

DES240504

비행기에 타서 자리를 앉으려고 보니 모나리자가
보이는 거에요

TOTOJI240504DES.

Leonardo da Vinci's famous painting 'Mona Lisa', sitting on an airplane window seat, arms folded in a humble posture, the scenery beyond the window is the sky and clouds, the topography of the mountains and trees overlooking the field below.

레오나르도 다빈치의 명화 '모나리자', 비행기 창가 좌석에 앉아 있는 모습, 양팔은 겸손자세로 모으고, 창 넘어 풍경은 하늘과 구름, 아래쪽으로 내려다 보이는 산과 나무 들녘의 풍경의 지형

PROMPT240504

The Mona Lisa is seated gracefully in a first-class airplane seat, her enigmatic smile capturing the attention of fellow passengers. Behind her, a large flight window reveals the vast expanse of clouds stretching to the horizon. The ambient hum of the aircraft complements the serene expression on her face, creating an intriguing juxtaposition of classic art and modern travel.

모나리자가 일등석 비행기 좌석에 우아하게 앉아 신비로운 미소로 동료 승객들의 시선을 사로잡고 있습니다. 모나리자 뒤에는 커다란 창문 너머로 수평선까지 펼쳐진 광활한 구름이 보입니다. 기내의 웅웅거리는 소리가 그녀의 평온한 표정과 어우러져 고전 예술과 현대 여행의 흥미로운 병치를 만들어냅니다.

넓은 창문을 보고 눈치채셨죠?? 모나리자가 있는 곳은 일등석 비행기 좌석이었습니다.

여기에서 중요한 것이 모나리자 뒤 창문에 비치는 수평선까지 펼쳐진 광활한 구름 배경 (behind her, a large flight window reveals the vast expanse of clouds stretching to the horizon) 그리고 고전예술과 현대 여행의 조화예요. (creating an intriguing juxtaposition of classic art and modern travel)

reveals: 창 틀.

intriguing: 호기심을 돋우는, 흥미를 돋우는

juxtaposition: 나란히 놓기, 나란히 세우기.

Juxtaposition 은 두 개 이상의 요소를 나란히 놓는 행위나 상태를 말합니다. 주로 두 요소를 비교하거나 대조하거나, 유사점이나 차이점을 보여주기 위해 사용됩니다

병치: 두 가지 대조되는 물체, 이미지 또는 아이디어가 함께 배치되거나 함께 설명되어 둘 사이의 차이점이 강조된다는 사실"로 정의. 한 번 참고해서 만들어보세요 ^^

창문 뒤의 배경을 바꾸는 것도 좋겠죠?

Mona Lisa sits normally with the public in the business seat and with a mysterious smile. It is attracting the attention of fellow passengers.

Behind the Mona Lisa, over the big window to the horizon. You see the vast clouds that have spread out. Over the window, far away. Clouds of munchies are visible downwards. The humming of the cabin gave her a calm expression. Combining the interesting juxtaposition of classical art and modern travel. I'm making it.

모나리자는 평소에도 비즈니스석에 신비로운 미소를 지으며 대중과 함께 앉아 있다. 동료 승객들의 눈길을 끌고 있다.

모나리자 뒤, 지평선을 향한 큰 창문 너머. 넓게 펼쳐진 구름이 보입니다. 창문 너머로, 저 멀리. 아래쪽으로 구름이 보입니다. 선실의 윙윙거리는 소리가 그녀의 표정을 차분하게 해주었다. 고전 예술과 현대 여행의 흥미로운 병치를 결합합니다. 나는 그것을 만들고 있다.

DES. 240505

어린이 날이라서 어린이를 데리고 왔어요

TOTOJI240505DES.

A child appears lost in thought looking out the airplane window. A heartbreaking moment. the child's face. With the city lights twinkling below, With contrasting warm light It shines beautifully. Focus on the child's eyes and facial expressions The feeling you get when looking at the vast world while traveling. The common emotion of wonder It suggests contemplation. The atmosphere created by lighting. The child's thoughtful pose A close association!

비행기 창밖을 바라보며 생각에 잠긴 아이가 보인다. 가슴 아픈 순간. 아이의 얼굴. 그 아래 반짝이는 도시의 불빛과 대비되는 따뜻한 빛으로 아름답게 빛나네요. 아이의 눈빛과 표정에 집중해보세요. 여행을 하면서 드넓은 세상을 바라볼 때 느끼는 느낌. 경이로움이라는 공통된 감정은 묵상을 암시합니다. 조명으로 만들어낸 분위기. 아이의 사려 깊은 포즈 긴밀한 연관성!

PROMPT240505

A toddler is riding a commercial airplane in flight, deep colors,

한 유아가 깊은 색상의 상업용 비행기를 타고 비행하고 있습니다.

여기서 toddler 란 것은 12 개월 정도의 걸음마를 시작하는 아이로 1-4 세까지의 아이를 이야기해요.

참고로 아기를 뜻하는 용어는

baby: 출생에서 4 세까지,

신생아(Newborn),

유아(Infant),

유아(Toddler) 모두 포함

*신생아(Newborn):

출생에서 2 개월, 28 일 미만 아이

*유아(Infant):

2 개월 – 1 세, 앉기 시작하는 나이부터 뜻함

*유아(Toddler):

1 살 – 3 살까지, 걸음마를 시작했거나

배우는 아기, 아기가 유치원에 갈 수 있을 때

*미취학 아동(Preschooler): 4 살

deep colors 라고 적으시면 깊은 색상을 뜻하는 것으로 진한 색조를 띄는 색상을 이야기해요. 깊은 색상을 사용하면 고급스럽고 깊은 느낌을 표현할 수 있습니다.

진한 색상의 반대말

*얕은 색상(Shallow colors): 밝고 옅은 색상, 흰색이나 파스텔 색상

*밝은 색상(Light colors): 밝고 선명한 색상, 노란색, 주황색, 녹색

희미한 색상(Pale colors): 옅고 희미한 색상, 연한 파란색, 연한 분홍색, 연한 회색

TOTOJI240505PROMPT

The image of a young girl riding in a commercial airplane, surrounded by deep colors to create a cozy and calm atmosphere

상업용 비행기를 타고 있는 어린 소녀의 이미지로, 짙은 색상으로 둘러싸여 아늑하고 차분한 분위기를 연출합니다.

DES.240506

어린이에겐 선물이 최고죠!

TOTOJI240506DES.

Airplane Design: Airplanes come in vibrant colors including red, yellow, blue, and green.

Features propeller and windows, plus additional details including engine and wing decoration.

Landscape Setting: A plane is a small piece of landform that appears to represent an island or floating platform. An imaginary world surrounded by various decorative blocks such as greenery, a small river, flowers and trees.

Accessories and Characters: A small figure in a red hat driving a vehicle near an airplane. Next to the platform is another character that resembles a snowman or a bird.

Overall mood: The image conveys the fun and creativity typical of block toys. The style is playful and encourages exploration of an imaginative world.

비행기 디자인: 비행기는 빨간색, 노란색, 파란색, 녹색 등 생동감 넘치는 색상.

프로펠러와 창문이 들어 있으며, 엔진과 날개 장식 등의 추가 디테일.

풍경 설정: 비행기는 섬이나 떠다니는 플랫폼을 나타내는 것처럼 보이는 작은 지형. 녹지와 작은 강, 꽃과 나무 등 다양한 장식 블록으로 둘러싸여 있어 상상의 세계.

액세서리 및 캐릭터: 비행기 근처에서 차량을 운전하는 빨간 모자를 쓴 작은 인물. 승강장 옆에는 눈사람이나 새를 닮은 또 다른 캐릭터.

전반적인 분위기: 이미지는 블록 장난감의 전형적인 재미와 창의성을 전달. 스타일은 장난스럽고 상상력이 풍부한 세계를 탐험하도록 장려.

PROMPT240506

It's A pastoral plane made of Lego bricks, pixel style, everything is made of bricks, there's a little house, there's a rainbow, there's a teddy bear, there's a Shukbeta, there's Transformers, there's Doraemon, there's Mickey.

레고 브릭으로 만든 목가적인 비행기, 픽셀 스타일, 모든 것이 브릭으로 만들어져 있고, 작은 집, 무지개, 테디 베어, 슈크베타, 트랜스포머, 도라에몽, 미키가 있고, 모든 것이 브릭으로 만들어져 있습니다. 중요한 것은 Lego bricks, Pixel style 이에요. 그리고 모든 것은 블록으로 만들어져 있다. everything is made of bricks 입니다. 꼭 해야 하는 부분은 2 번 강조 잊지 마세요!

TOTOJI240506PROMPT

An idyllic plane made of Lego bricks, pixel style, everything is made of bricks, little house, rainbow, teddy bear, shukbeta, miki, everything is made of bricks.

레고 브릭으로 만든 목가적인 비행기, 픽셀 스타일, 모든 것이 브릭으로 만들어져 있고, 작은 집, 무지개, 테디 베어, 슈크베타, 미키가 있고, 모든 것이 브릭으로 만들어져 있습니다.

DES.240507

아이가 심심해서 비행기 안에서 비행기를 그렸어요.

그림을 너무 잘 그리셨는데, 아이가 그린 그림이
핵심이에요

TOTOJI240507DES.

The picture shows a colorful airplane flying through a bright sky full of stars and clouds. The sky is painted in blue shades, and stars and clouds are painted in vivid colors. The plane itself is expressed in various and bright colors, making it look like it is flying up.

그림에는 별과 구름이 가득한 밝은 하늘을 날아다니는 다채로운 비행기가 나와 있습니다. 하늘은 파란색 음영으로 그려지고, 별과 구름은 생생한 색상으로 그려집니다. 비행기 자체가 다양하고 밝은 색상으로 표현되어 마치 위로 날아오르는 것처럼 보입니다.

PROMPT240507

a toddler's drawing of airplane drawn with crayons on a simple white background in a cartoon style with simple line art and pastel colors, fun, creative, airplanes, stars, sky, clouds, cute

여기서 중요한 것은 아이가 그린 그림을 이야기할 때 toddler 라는 단어를 쓰시면 되요. 저번 시간에 배우셨죠? toddler 는 1-4 세까지의 아이를 뜻합니다.

그리고 with crayons on a simple (그림 그리는 곳) 이렇게 쓰시면 되고요. 라인이 단순한 것은 in a cartoon style with simple line art and pastel colors 입니다. 좀 더 창의적이고 싶을 때는 creative 라는 단어를 넣으시면 되요.

A toddler's drawing of airplane drawn with crayons on a simple white background in a cartoon style with simple line art and pastel colors, fun, creative, airplanes, stars, sky, clouds, cute

간단한 선 아트와 파스텔 색상, 재미 있고 창의적이며 비행기, 별, 하늘, 구름, 귀여운 만화 스타일로 단순한 흰색 배경에 크레용으로 그린 비행기 그림

DES.240508

장거리 비행을 하다 보니 한식이 생각나는 거에요

TOTOJI240508DES.

A large plate full of Korean food is decorated on a wooden table, a tofu-shaped steamed egg is decorated with seasonings such as red pepper powder, green onion and soy sauce, cheese and seasoning are placed in the mushroom-shaped eggplant dish below, and a third of the right side of the plate is cut enough to eat zucchini and onions, and red bell peppers are cut on the left side of the plate. The upper right outside the dish in the painting is decorated with parsley.

한식요리가 한 가득한 커다란 접시가 나무 식탁 위에, 두부모양의 계란 찜 위에는 고추가루 파 간장 등의 양념이 데코레이션되고, 그 아래쪽에 버섯모양의 가지요리 안에는 치즈와 양념이, 접시 우측 편 1/3 은 애호박과 양파가 먹을 만큼 잘려서 요리된 것이 놓여 있고, 접시 좌측편에는 빨간색 피망이 썰어져서 놓여 있다. 그림의 접시 밖 우측 상단에는 파셀리가 장식되어 있다.

PROMPT240508

A photorealistic image. Aerial view of Oven-browned feta on slices of aubergine, diced courgette, small pieces of pepper and onion rings. on a plate on an empty wooden table. Balanced contrast and saturation, daylight, high key, bright, natural colour gradation, professional food photography, ultra photorealistic, super detailed. Taken in a well-lit studio.

사실적인 이미지. 오븐에서 구운 페타 치즈를 가지 조각, 잘게 썬 애호박, 작은 후추 조각과 양파 링 위에 올려놓은 조감도. 빈 나무 테이블 위에 접시에 담았습니다. 균형 잡힌 콘트라스트와 채도, 일광, 하이키, 밝고 자연스러운 색상 그라데이션, 전문적인 음식 사진, 매우 사실적이고 매우 디테일 합니다. 조명이 밝은 스튜디오에서 촬영

여기에서 중요한 키워드는 앞에 사실적인 이미지라고 A photorealistic image. 이렇게 적어 주시고요. 뒷부분에 Balanced contrast and saturation, daylight, high key, bright, natural colour gradation, professional food photography, ultra photorealistic, super detailed. Taken in a well-lit studio 이렇게 전문적인 음식 사진인데 조명이 밝은 스튜디오에서 촬영했다고 알려주는 겁니다.

한 번 자유롭게 응용해보세요!

TOTOJI240508PROMPT

Realistic image. Aerial view of oven-baked feta cheese on top of eggplant slices, diced zucchini, small pepper flakes and onion rings. Served on plate on empty wooden table. Balanced contrast and saturation, daylight, high-key, bright and natural color gradients, professional food photography, very realistic and highly detailed. Taken in a well-lit studio, viewed from a 45-degree angle.

사실적인 이미지. 오븐에서 구운 페타 치즈를 가지 조각, 잘게 썬 애호박, 작은 후추 조각과 양파 링 위에 올려놓은 조감도. 빈 나무 테이블 위에 접시에 담았습니다. 균형 잡힌 콘트라스트와 채도, 일광, 하이키, 밝고 자연스러운 색상 그라데이션, 전문적인 음식 사진, 매우 사실적이고 매우 디테일 합니다. 조명이 밝은 스튜디오에서 촬영,45 도 각도에서 내려다보이는 촬영.

DES240509

아빠는 여행지에 도착해서 마실 시원한 음료를
생각하면서 기대하고 있답니다

TOTOJI240509DES.

The glass cup contains lemon and ice, and is about 90% filled with beverage. The sky is blue, the sea is clear, there are puffy clouds floating in the sky, and two yachts look very small on the sea. The waves on the sandy beach add to the coolness caused by the waves. Some palm tree branches are also visible.

유리컵 안에 레몬과 얼음이 담겨 져 있고 90%정도 음료수가 담겨져 있다. 하늘은 파랗고, 바다도 파랗다, 하늘에는 뭉게구름이 두둥실 떠있고, 바다위에는 요트 2 대가 아주 작게 보인다. 해변가 모래사장에는 파도가 밀려와 생긴 거품으로 시원함을 더해준다. 야자수 나뭇가지도 약간 보인다.

PROMPT240509

A glass of sparkling water with lemon and grapefruit slices, ice cubes on the beach under a blue sky with white clouds, surrounded by crystal clear waves, with colorful fruits scattered around, sunlight shining through the clouds onto the sea surface, creating a beautiful scenery. The background is blurred and filled with bright colors. in the style of impressionism.

레몬과 자몽 조각을 곁들인 탄산수 한 잔, 하얀 구름이 있는 푸른 하늘 아래 해변의 얼음 조각, 수정처럼 맑은 파도에 둘러싸여 형형색색의 과일이 흩어져 있고 구름 사이로 햇빛이 해수면에 비쳐 아름다운 풍경을 연출합니다. 배경은 흐릿하고 밝은 색상으로 채워져 있습니다. 인상주의 스타일로.

여기서 중요한 부분이

creating a beautiful scenery. The background is blurred and filled with bright colors. in the style of impressionism.

이거에요. 아름다운 장면을 만들었다. 배경은 흐릿하고 밝은 색상으로 채워져 있다. 인상파 스타일이다. 한 번 다양하게 응용해보세요!

TOTOJI240509PROMPT

A glass of sparkling water with strawberries and apple slices, ice cubes on the beach under a blue sky with white clouds, colorful fruits scattered among crystal-clear waves, sunlight shining through the clouds onto the sea surface, creating a beautiful scenery. The background is blurred and filled with bright colors. In the style of impressionism.

딸기와 사과 조각을 곁들인 탄산수 한 잔, 하얀 구름이 있는 푸른 하늘 아래 해변의 얼음 조각, 수정처럼 맑은 파도에 둘러싸여 형형색색의 과일이 흩어져 있고 구름 사이로 햇빛이 해수면에 비쳐 아름다운 풍경을 연출합니다. 배경은 흐릿하고 밝은 색상으로 채워져 있습니다. 인상주의 스타일로.

Des.240510

차이점을 아시겠나요? ^^

날씨가 더우니 차가운 음료가 계속 생각나네요! ^^

참고로 인상주의는 아니에요.

TOTOJI240510DES.

A glass of sparkling water with lemon and grapefruit slices, under a blue sky with white clouds and a pair of seagulls, surrounded by crystal-clear waves on the beach, colorful fruits scattered around, sunlight shining through the clouds onto the sea surface, creating a beautiful scenery. The background is blurred and filled with bright colors. In the style of impressionism.

레몬과 자몽 조각을 곁들인 탄산수 한 잔, 하얀 구름이 있과 갈매기 한쌍이 보이는 푸른 하늘 아래 해변의 수정처럼 맑은 파도에 둘러싸여 형형색색의 과일이 흩어져 있고 구름 사이로 햇빛이 해수면에 비쳐 아름다운 풍경을 연출합니다. 배경은 흐릿하고 밝은 색상으로 채워져 있습니다. 인상주의 스타일로.

PROMPT240510

A glass of sparkling water with ice cubes, lemon and grapefruit slices on the beach under a blue sky and white clouds, surrounded by fresh fruit elements. The background is an endless sea with full sunshine, blue waves crashing against rocks, and colorful fruits floating in crystal clear waters. The photography has a high definition, uses natural light, a wide angle lens, and clear focus with cool tones to create a refreshing feeling.

푸른 하늘과 흰 구름 아래 해변에서 얼음 조각, 레몬, 자몽 조각을 얹은 탄산수 한 잔과 신선한 과일로 둘러싸여 있습니다. 배경은 햇살이 가득한 끝없는 바다, 바위에 부딪히는 푸른 파도, 수정처럼 맑은 바닷물에 떠 있는 형형색색의 과일입니다. 이 사진은 고화질에 자연광, 광각 렌즈, 시원한 톤의 선명한 초점을 사용하여 상쾌한 느낌을 연출합니다.

차이점은 인상주의 스타일이 아닌 사진이란 점이었어요 ^^

The photography has a high definition, uses natural light, a wide angle lens, and clear focus with cool tones to create a refreshing feeling.

이 사진은 고화질에 자연광, 광각 렌즈, 시원한 톤의 선명한 초점을 사용하여 상쾌한 느낌을 연출합니다.

저번에는 배경이 흐릿하고 밝은 색상이었죠^^

한 번 자유롭게 응용해 보세요.

더 시원한 감이 느껴 지시죠?

차이점은 인상주의 스타일이 아닌 사진이란 점이었어요.

TOTOJI240510PROMPT

A glass of sparkling water with lemon and grapefruit slices, under a blue sky with white clouds and a pair of seagulls, surrounded by crystal-clear waves on the beach, colorful fruits scattered around, sunlight shining through the clouds onto the sea surface, creating a beautiful scenery. The background is blurred and filled with bright colors. I tried leaving out impressionism.

레몬과 자몽 조각을 곁들인 탄산수 한 잔, 하얀 구름이 있고 갈매기 한 쌍이 보이는 푸른 하늘 아래 해변의 수정처럼 맑은 파도에 둘러싸여 형형색색의 과일이 흩어져 있고 구름 사이로 햇빛이 해수면에 비쳐 아름다운 풍경을 연출합니다. 배경은 흐릿하고 밝은 색상으로 채워져 있습니다. 인상주의를 빼 봤어요.

DES.240511

I was going along quietly, but suddenly I heard an angry sound. Wow, how should I plan this for prom??

조용히 잘 가고 있는데 갑자기 화난 소리가 들리는 거에요. 우와 이건 어떻게 프롬프트 짜야 될까요??

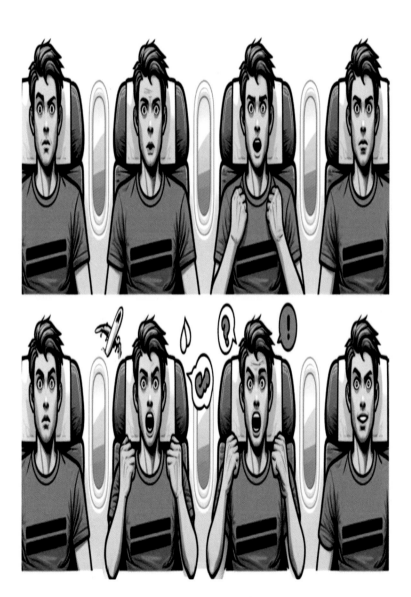

Wearing an orange t-shirt with about 5 horizontal black lines drawn on it, 3 people on an airplane are expressing their surprised expressions in 4 shots. Drawn in a cartoon style with symbols that add to the realism.

주황색 티셔츠에 가로로 된 검정 줄이 5 개정도 가로로 그려진 옷을 입고, 3 명의 비행기 안에서 놀라는 표정들을 4 컷으로 표현하고 있다. 긴장감이 더해주는 사진. 만화 스타일로 그려줘

뭔 일이 생긴 걸까?

내일의 정답이 기대되면서 난기류를 만났을까??? 추측해본다

PROMPT240511

angry passengers on a commercial flight shaking their fists and shouting. on the left are rows of passengers in three seats representing economy. on the right are rows of passengers in two seats representing first class. in the style of a four-panel stick figure web comic.

주먹을 흔들며 소리를 지르는 화난 승객의 모습 왼쪽은 이코노미석을 상징하는 세 개의 좌석에 앉은 승객들, 오른쪽은 퍼스트 클래스를 상징하는 두 개의 좌석에 앉은 승객들. 네 컷 만화 스타일의 스틱 피겨 웹 만화입니다.

살짝 주먹을 쥔 모습이 보이시나요?

여기서 중요한 키워드는 네 컷 만화 스타일의 스틱 피겨 웹만화라는 겁니다.

여기서 스틱 피겨(stick figures)란 단순하여 누구나 그릴 수 있고 표현력도 풍부한 사용자 친화적인 그래픽으로 사람 형상을 선으로 그린 겁니다.

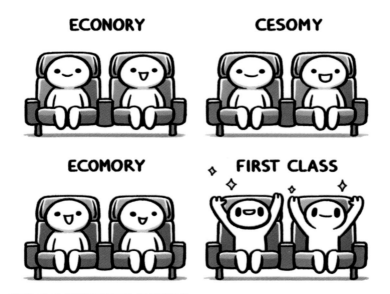

Here's the four-panel cartoon-style webcomic of stick figure passengers, showing the contrast between economy and firstclass seating. Each panel captures the passengers waving their hands and smiling. You can view and download the image above.

손을 흔들며 미소를 띠고 웃는 승객의 모습 왼쪽은 이코노미석을 상징하는 세 개의 좌석에 앉은 승객들, 오른쪽은 퍼스트 클래스를 상징하는 두 개의 좌석에 앉은 승객들. 네 컷 만화 스타일의 스틱 피겨 웹 만화입니다.

DES.240512

These are commemorative clothes given on airplanes for long-distance travelers.

장거리 여행자를 위한 비행기에서 주는 기념 옷이에요.

TOTOJI240512DES.

Here's the red t-shirt design featuring the silhouette of a woman standing on a skateboard with a background transitioning from red to pink and an airplane above her. The style is bold and graphic, highlighting the themes of adventure, travel, and freedom. You can view and download the image above. If you need any further modifications or another design, feel free to ask!

스케이트보드 위에 서 있는 여성의 실루엣이 돋보이는 레드 티셔츠 디자인입니다. 배경은 구름이 곳곳에 흩어져 빨간색에서 분홍색으로 전환됩니다. 여자 위에는 비행기의 실루엣이 있다. 스타일은 대담하고 그래픽적이며 강한 대비와 최소한의 색상을 사용하여 눈에 띄는 시각적 효과를 만들어냅니다. 테마는 모험, 여행 또는 자유를 암시하여 역동적이고 젊은 디자인을 좋아하는 개인에게 어필할 수 있습니다.

PROMPT240512

A minimalist t-shirt design representing a flight attendant person, Incorporate subtle aviation elements such as airplane silhouettes, clouds, or wing motifs to evoke the sense of aspiring to soar into the skies

승무원을 상징하는 미니멀한 티셔츠 디자인에 비행기 실루엣, 구름, 날개 모티브 등 미묘한 항공 요소를 접목해 하늘로 날아오르고 싶은 열망을 불러일으키는 감각을 담아냈습니다.

여성분의 정체는 승무원이었어요.

여기서 중요한 표현은 sense of aspiring to soar into the skies

즉, 하늘로 날아오르고 싶은 열망을 불러일으키는 감각입니다.

한번 다양하게 변형시켜보세요!

Here is the updated colorful minimalist t-shirt design, now featuring a smiling, attractive female flight attendant, tailored to symbolize KAL flight attendants. This design enhances the beauty and essence of her role within the aviation industry with a bright, engaging smile.

KAL 승무원을 상징하는 미니멀한 티셔츠 디자인에 비행기 실루엣, 구름, 날개 모티브 등 미묘한 항공 요소를 접목해 하늘로 날아오르고 싶은 열망을 불러일으키는 감각을 담아냈습니다. 예쁜 여성 승무원을 중점적으로 해서 이미지 그려줘

DES.240513

It's like arriving in an unfamiliar place and looking at a map to figure out where to go.

낯선 곳에 도착해서 어디를 가야 하나 지도를 보고 헤매는 모습이에요.

TOTOJI240513DES.

Here is the illustration of the confused male traveler in an old European city, humorously depicted as he tries to find the Korea AI Writers Association (KAAA) amidst multiple directional signs.

혼란스러운 남성 여행자가 도시 풍경 속에서 지도를 들고 서로 다른 방향으로 "KAAA"라고 한국 AI 작가협회를 찾아가는 여정. 그의 표정은 그가 자신의 위치나 목적지에 대해 당황. 배경은 고전적인 건축물로, 유럽의 오래된 도시를 배경으로. 하늘은 부분적으로 흐려서 장면에 역동적인 요소를 추가하는 반면, 걷는 여자, 휴대폰을 사용하는 남자와 같은 다른 캐릭터는 자신의 방향을 더 확실하게 파악. 이 이미지는 새로운 도시에서 길을 잃었을 때 흔히 공감할 수 있는 경험을 유머러스하게 포착합니다.

PROMPT240513

Cartoon style, a confused tourist holding a map, looking unsure, in front of landmarks in Helsinki Finland, Helsinki cathedral, white church, street signs with a word "KAAA" pointing different directions

만화 스타일, 핀란드 헬싱키의 랜드마크, 헬싱키 대성당, 하얀 교회, 다른 방향을 가리키는 "KAAA"라는 단어가 적힌 거리 표지판 앞에서 지도를 들고 혼란스러워하는 관광객, 확신하지 못하는 표정

여기서 중요한 표현은

확신하지 못하는 표정: looking unsure 에요. 아무래도 지도를 봐도 혼란스러운 거죠. 여기서 혼란이란 것은 confused 입니다.

다양하게 응용해서 만들어보세요!

Here's the cartoon-style illustration featuring the Myeongdong Cathedral in Korea, with a confused tourist holding a map in front of a street sign. The sign includes directions for the "Korea AI Authors Association KAAA". You can view the image above.

만화 스타일, 핀란드 헬싱키의 랜드마크, 헬싱키 대성당, 하얀 교회, 다른 방향을 가리키는 "한국 AI 작가협회 KAAA"라는 단어가 적힌 거리 표지판 앞에서 지도를 들고 혼란스러워하는 관광객, 확신하지 못하는 표정

DES.240514

As I looked around, I saw a sign for a bus information center for tourists.

두리번거리다 보니 관광객을 위한 버스 안내소 표시가 보이는 거에요.

TOTOJI240514DES.

Here's the image of an open guide atlas displaying a map with bus routes and a location marked as "KAAA". A bus information center sign is also depicted nearby.

버스 안내소 표시가 보이는 가이드 지도책을 편 이미지, KAAA 가 표시된 지도책,

PROMPT240514

flat icon illustration depicting a bus on a trifold map, side view, very simple, very little vectors, white background, clean, dark blue with yellow accent colors, transparent background

삼중 지도에 버스를 묘사하는 평면 아이콘 일러스트, 측면도, 매우 단순하고 매우 작은 벡터, 흰색 배경, 깨끗하고 진한 파란색과 노란색 강조 색상, 투명한 배경

Here is the flat icon illustration of a passenger car on a tri-fold map, designed in a simple vector style with dark blue and yellow accents. You can view and download the image if it meets your needs.

삼중 지도에 승용차를 묘사하는 평면 아이콘 일러스트, 측면도, 매우 단순하고 매우 작은 벡터, 흰색 배경, 깨끗하고 진한 파란색과 노란색 강조 색상, 투명한 배경

DES.240515

Here is the flat icon illustration of a passenger car on a tri-fold map, designed in a simple vector style with dark blue and yellow accents. You can view and download the image if it meets your needs.

삼중 지도에 승용차를 묘사하는 평면 아이콘 일러스트, 측면도, 매우 단순하고 매우 작은 벡터, 흰색 배경, 깨끗하고 진한 파란색과 노란색 강조 색상, 투명한 배경

TOTOJI240515DES.

the illustration of a young girl joyfully riding her
bicycle through a city street, as described. The
scene is vibrant and full of energy, capturing the
essence of a bustling urban environment with a
blend of realism and animation aesthetics

일본어로 된 상점과 간판이 늘어선 도시 거리를
자전거를 타고 즐겁게 달리는 어린 소녀의 밝고
햇빛이 비치는 장면을 묘사. 배경은 분주하고
세밀하여 분주한 도시 환경. 소녀는 활기차게 앞을
바라보고 있고, 흥분된 눈을 크게 뜨고 있으며,
바람에 머리카락을 휘날리며 현장에 생동감과
생동감. 작품은 사실주의 요소와 애니메이션 미학을
결합한 스타일로 다채롭고 역동적. 자유로움과 도시
생활의 일상적 활력을 전달하기 위해 의도된
애니메이션 영화나 그래픽 소설의 한 장면.

PROMPT240515

A girl riding her bike in front of the convenience store "24HFocus Mart" at an intersection, simple drawing style, Japanese animation style, Qversion manga artstyle, color blocks, simple lines, white background, Miyazaki Hayao's cartoon handdrawn illustration, high definition, high resolution, high detail, masterpiece, best quality

교차로에서 편의점 "24H 포커스 마트"앞에서 자전거를 타는 소녀, 단순한 그림 스타일, 일본 애니메이션 스타일, 큐버전 만화 아트 스타일, 컬러 블록, 단순한 선, 흰색 배경, 미야자키 하야오의 만화 핸드 드로잉 일러스트, 고화질, 고해상도, 고 디테일, 결작, 최고 품질

여기서 알아 두실 부분은 단순한 그림 스타일(simple drawing style)과 단순한 선(simple lines)이고요.

애니풍으로 표현할 때는 일본 애니메이션 스타일

(Japanese animation style), 큐버전 만화 아트 스타일(Qversion manga artstyle) 그리고 참고할 만화 스타일인 미야자키 하야오의 만화인데 손으로 그린 것 같은 느낌이란 뜻을 적어 주시면 되요.

(Miyazaki Hayao's cartoon handdrawn illustion)

그리고 작품이란 뜻의 걸작(masterpiece)를 넣어주시면 더 멋진 작품이 나오는 데, 단순하지만 고퀄리티이고 싶으면 고화질(high definintion), 고해상도(high resolution), 고 디테일(high detail), 최고 품질(best quality)를 쓰시면 됩니다. And when you put text, "   " 안에 넣으시면 더 글자를 잘 써줘요!

TOTOJI240515PROMPT

A girl riding her bike in front of the convenience store "24H TOTO Mart" at an intersection, simple drawing style, Japanese animation style, Qversion manga artstyle, color blocks, simple lines, white background, Miyazaki Hayao's cartoon handdrawn illustration, high definition, high resolution, high detail, masterpiece, best quality

교차로 편의점 "24H TOTO Mart" 앞에서 자전거를 타는 소녀, 간단한 그림 스타일, 일본 애니메이션 스타일, Qversion 만화 아트 스타일, 컬러 블록, 단순한 선, 흰색 배경, 미야자키 하야오의 만화 손으로 그린 일러스트, 고화질, 고해상도, 높은 디테일, 걸작, 최고의 품질

DES.240516

이미지를 묘사해 보세요!

TOTOJI240516DES.

World map puzzle. A three-dimensional piece of art mixed with a model of a classic yellow car (possibly a Volkswagen Beetle) with touring equipment on the roof rack. The map is depicted in a variety of tones and textures, giving it a vintage and somewhat worn feel, but the continents are slightly raised, adding depth to the piece.

The car is positioned as if driving in the lower left corner of the image and crosses over the map on the wooden table surface, hinting at themes of travel and adventure. Using a puzzle on a map may symbolize the complexity or interconnectedness of different world regions, or the concept of exploring and connecting different aspects of the world through travel.

Overall, the work cleverly combines two-dimensional and three-dimensional elements to create a dynamic and visually appealing piece that evokes feelings of wanderlust and discovery.

세계 지도 퍼즐. 루프 랙에 여행용 장비가 장착된 클래식 노란색 자동차(폭스바겐 비틀리일 가능성이 있음) 모델이 혼합된 3 차원 예술 작품. 지도는 다양한 색조와 질감으로 묘사되어 빈티지 하고 다소

낡은 느낌을 주지만 대륙은 약간 솟아올라 작품에 깊이를 더합니다.

자동차는 이미지의 왼쪽 하단을 주행하는 것처럼 위치하며 나무 테이블 표면에서 지도 위로 교차하여 여행과 모험의 주제를 암시합니다. 지도에 퍼즐을 사용하는 것은 서로 다른 세계 지역의 복잡성이나 상호 연결성을 상징할 수도 있고, 여행을 통해 세계의 다양한 측면을 탐색하고 연결하는 개념을 상징할 수도 있습니다.

전반적으로 이 작품은 평면 요소와 3차원 요소를 교묘하게 결합하여 방랑벽과 발견의 느낌을 불러일으키는 역동적이고 시각적으로 매력적인 작품을 만들어냅니다.

PROMPT240516

Je veux une vielle carte de route dépliée.

펼쳐진 오래된 로드맵을 원합니다. 프랑스어입니다
^^

영어로 바꾸면 I want an old unfolded road map
언어를 하나 바꿨을 뿐인데도 멋진 작품이 나오죠?
^^

한 번 다양한 언어로 작성해보세요 ^^

Casse-tête de carte du monde. Une œuvre d'art en trois dimensions mélangée à un modèle de voiture jaune classique (peut-être une Volkswagen Beetle) avec des équipements de tourisme sur la galerie de toit. La carte est représentée dans une variété de tons et de textures, lui donnant un aspect vintage et quelque peu usé, mais les continents sont légèrement surélevés, ajoutant de la profondeur à la pièce.

La voiture est positionnée comme si elle conduisait dans le coin inférieur gauche de l'image et traverse la carte sur la surface de la table en bois, faisant allusion aux thèmes du voyage et de l'aventure. L'utilisation d'un puzzle sur une carte peut symboliser la complexité ou l'interconnectivité de différentes régions du monde, ou le concept d'exploration et de connexion de différents aspects du monde à travers le voyage.

Dans l'ensemble, l'œuvre combine intelligemment des éléments bidimensionnels et tridimensionnels pour créer une pièce dynamique et visuellement attrayante qui évoque des sentiments d'errance et de découverte.

Casse-tête de carte du monde. 갤러리 전체에 관광 장비와 클래식 노란색 자동차 모델(폭스바겐 비틀용)이 결합된 3 차원 예술 작품입니다. 카드는 다양한 색상과 질감으로 표현되어 빈티지한 느낌과 기존에 사용하던 것들도 있지만 대륙은 조금 더 가벼워져 작품에 깊이를 더해줍니다.

자동차는 이미지 하단의 동전을 몰고 나무 테이블 표면의 카드를 가로지르는 것처럼 배치되어 항해와 모험의 주제를 암시할 수 있습니다. 세계 여러 지역의 복잡성이나 상호 연결성을 상징하는 퍼즐을 카드에 사용하거나 항해를 통해 세계의 다양한 측면을 탐색하고 연결하는 개념입니다.

앙상블에서 이 작품은 2 차원과 3 차원 요소의 지능을 결합하여 역동적인 작품과 잘못된 데쿠베르트 감정을 불러일으키는 매력적인 시각적 디스플레이를 만들어냅니다.

DES.240517

I asked an older woman who looked nice to hitchhike for me.

인상이 좋아 보이는 나이 든 여자분에게 히치하이킹을 부탁했어요.

the generated image based on your description, featuring a stylish young woman in a convertible with a vibrant, mid-20th century modern art style backdrop. The scene captures the essence of a vintage European road trip, blending fashion with idyllic scenery.

대담한 색상 사용과 단순화된 형태가 특징인 스타일리시하고 생동감 넘치는 장면을 묘사한 이미지는 확실히 현대적이며 거의 그래픽 소설 같은 느낌. 크고 둥근 선글라스와 컬러풀한 패턴의 의상을 입고 컨버터블을 운전하는 젊은 여성이 편안하고 패셔너블해 보이는 모습. 그녀의 헤어 액세서리와 오렌지색 차량 내부는 그녀의 옷차림의 생동감을 반영. 웅장한 저택과 구불구불한 시골 풍경을 보여주는 배경은 밝고 평면적인 색상과 단순화된 디테일로 표현되어 작품의 전체적인 스타일리시하고 눈길을 끄는 미학을 향상. 시골 풍경을 강조. 강한 기하학, 원근법에 대한 유쾌한 접근 방식, 포화된 팔레트를 포함하는 20 세기 중반 현대 미술과 일러스트레이션을 연상. 목가적인 풍경과 패션 요소의 결합은 여유로움과 럭셔리함을 표현하며 빈티지한 유럽 자동차 여행의 화려함을 연상.

PROMPT240517

a flat art illustration of a 55 year old demi moore driving a convertable 1968 Citroen DS on a winding french countryside road towards a 19th century haussemenian fairytale pink chateau in the distance. She is wearing a colorful orange, yellow green and hot pink printed vintage 1970's top, huge round sunglasses and her layered black hair and hermes scarf are blowing behind her as she drives

55 세의 데미 무어가 1968 년형 시트로엥 DS 컨버터블을 몰고 구불구불한 프랑스 시골길을 달려 저 멀리 있는 19 세기 오세메니아 동화 속 핑크색 샤토를 향해 달리는 평면 아트 일러스트레이션입니다. 그녀는 화려한 오렌지, 옐로우 그린, 핫 핑크 프린트의 1970 년대 빈티지 탑과 커다란 원형 선글라스를 착용하고 있으며, 레이어드한 검은 머리와 헤르메스 스카프가 운전하는 동안 그녀의 뒤로 불어오는 바람을 맞고 있습니다.

여기서 포인트는 여자분의 정체가 영화배우 데미무어라는 것이었어요. 그리고 평면 아트 일러스트레이션(a flat art illustration)

그리고 색상을 3 개 지정했죠? colorful orange, yellow green and hot pink printed 이렇게 화려한 오렌지, 옐로우 그린 그리고 핫 핑크가 프린트 되었다.

마지막으로 입체감을 주기 위해서 뒤로 불러오는 바람이라고 되어 있습니다. blowing behind

한 번 다양하게 응용해서 만들어보세요!

Illustration d'art plat MARIA, 25 ans, conduisant une Citroën DS décapotable de 1968 sur une route de campagne française sinueuse en direction du château rose lointain d'un conte de fées osménien du XIXe siècle. Elle porte un haut vintage des années 1970 dans un imprimé coloré orange, jaune-vert et rose vif et de grandes lunettes de soleil rondes, avec ses cheveux noirs superposés et son écharpe Hermès qui capte le vent qui souffle derrière elle pendant qu'elle conduit.

19세기 오스메니아 동화에 등장하는 먼 분홍색 성을 향해 구불구불한 프랑스 시골길을 따라 1968 년형 시트로엥 DS 컨버터블을 운전하는 마리아(25 세)의 평면 예술 그림입니다. 그녀는 화려한 오렌지색, 황록색, 핫 핑크 프린트의 빈티지 1970 년대 탑과 크고 둥근 선글라스를 착용하고, 여러 겹으로 묶은 검은 머리와 그녀가 운전할 때 뒤에서 불어오는 바람에 에르메스 스카프를 두르고 있습니다.

DES.240518

I ate Mt. Geumgang because I was hungry.

금강산도 식후경이라고 배가 고파서 먹은

음식이랍니다

you shared is a visually dynamic and artistic representation of sushi. In particular, it shows a sushi roll floating in the air with a dramatic splash of soy sauce and scattered sesame seeds. This dynamic expression not only emphasizes the freshness and quality of the sushi, but also adds an action element to the still life. The dark background contrasts sharply with the bright colors of the sushi and the vibrant orange color of the salmon, drawing the viewer's attention to the food. It's an impressive and creative way to present sushi while emphasizing both its aesthetic appeal and taste.

초밥을 시각적으로 역동적이고 예술적으로 표현. 특히 간장과 흩뿌려진 참깨가 드라마틱하게 튀는 공중에 떠 있는 스시롤을 보여줌. 이 역동적인 표현은 초밥의 신선함과 품질을 강조할 뿐만 아니라 정물화에 액션적인 요소를 더해줍니다. 어두운 배경은 밝은 색상의 초밥, 연어의 생기 넘치는 오렌지색과 뚜렷한 대조를 이루며 보는 사람의 관심을 음식에 집중시킵니다. 초밥의 미적 매력과 맛을 모두 강조하면서 초밥을 선보이는 인상적이고 창의적인 방법

PROMPT240518

quality photo of California sushi set, shrimp rolls, sesame seed sprinkles are flying around, soy sauce is dripping, and there are Hashi sushi sticks lying around

캘리포니아 초밥 세트, 새우 롤, 참깨 뿌리가 날아 다니고 간장이 떨어지고 하시 초밥 스틱이 놓여있는 고품질 사진

여기서 생동감 있는 표현은 sprinkles are flying around 에요.

그런데 곰딴님이 알려주신 싱크로나이즈 기법과 체조 기법이 괜찮네요.

다양한 기법을 알아가는 게 프롬프트 챌린지 25 의 매력인 것 같습니다 ^^

the image featuring a California sushi set with a shrimp roll, sesame sprinkles, soy sauce drippings, Hashi sushi sticks, and tuna sashimi.

캘리포니아 초밥 세트, 새우 롤, 참깨 뿌리가 날아 다니고 간장이 떨어지고 하시 초밥 스틱이 놓여있는 고품질 사진. 참치 회.

새우 하나만 젓가락과 표현된 부분이 예술적으로 느껴지네요

DES.240519

Now that our stomachs are full, shall we fill our hearts with fragrance?

배도 부르니 이제는 마음을 향으로 채워볼까요? ^^

TOTOJI240519DES.

the image featuring an elegantly designed perfume
bottle surrounded by falling cherry blossoms,
capturing a serene and delicate aesthetic.

벚꽃이 쏟아지는 가운데 향수병을 아름답게
담아내며 고요하고 섬세한 미학을 연출. 부드러운
핑크 톤과 유리병의 반투명 품질은 꽃이 만발한
벚꽃 가지를 배경. 우아한 디자인의 보틀 주위로
떨어지는 꽃잎의 구성과 움직임은 봄의 싱그러움과
은은한 향기를 연상. 이 비주얼은 우아함과
여성스러움을 강조하면서 플로랄 향수의 본질을
효과적으로 전달.

PROMPT240519

Perfume bottle in a stage. In a empty pink room, A tornado of sakura flowers swriling around the perfume, realistic, protrait, glowing

무대 위의 향수병. 텅 빈 분홍색 방, 향수 주위를 휘감는 벗꽃의 회오리, 사실적이고 프로트레이트, 빛나고 있습니다.

여기서 주의 깊게 볼 부분은 향수 주위를 휘감는 벗꽃의 회오리 에요. A tornado of sakura flowers swriling around the perfume 그리고 빛나고 있다는 glowing 입니다.

자유롭게 만들어보세요

the image of a glowing, empty pink room on stage, with a whirlwind of roses swirling around a perfume bottle. The scene evokes a sense of homesickness through its dramatic and emotional atmosphere.

향수병 주위에 장미 회오리바람이 소용돌이치는 무대 위의 빛나는 텅 빈 분홍색 방의 이미지입니다. 이 장면은 드라마틱하고 감성적인 분위기를 통해 향수병을 불러일으킨다.

DES.240520

It seems the same, but it's a little different, right? ^^

Imagine freely!

같은 거 같으면서도 조금 다르죠? ^^

자유롭게 상상해보세요!

TOTOJI240520DES.

the image depicting several perfume bottles on a vibrant blue beach, surrounded by an enchanting array of flowers and foliage under soft, magical lighting.

부드럽고 마법 같은 조명 아래 매혹적인 꽃과 나뭇잎으로 둘러싸인 생동감 넘치는 푸른 해변에 있는 여러 개의 향수병을 묘사한 이미지

PROMPT240520

"Exquisite Fragrance Displays, showcasing Viktor&Rolf Flowerbomb, highlighting its iconic grenade-shaped bottle and floral explosion, set against a backdrop of vibrant blossoms and lush greenery, with soft, diffused lighting to evoke a sense of joy and celebration, captured in professional style, conveying the essence of extravagance and indulgence, with

"빅토르&롤프 플라워밤의 상징적인 수류탄 모양의 보틀과 꽃의 폭발을 강조하는 정교한 향수 디스플레이는 활기찬 꽃과 무성한 녹지를 배경으로 부드럽고 확산된 조명으로 기쁨과 축하의 느낌을 불러일으키며 전문가적인 스타일로 촬영되어

화려함과 탐닉의 정수를 전달합니다."

라고 설명합니다.

여기서 보실 표현은 수류탄 모양의 보틀이란 점이에요. (iconic grenade-shaped bottle)

그리고 정교한 향기 디스플레이(Exquisite Fragrance Displays) 조명은 기쁨과 축하의 느낌을 불러일으키는 부드럽고 확산된 조명(diffused lighting to evoke a sense of joy and celebration) 그리고 전문가적인 스타일로 촬영(captured in professional style)

The image depicting Viktor & Rolf's iconic Flowerbomb perfume bottle in a classic style, surrounded by a lush explosion of vibrant flowers and soft, diffused lighting that enhances the sense of joy and celebration.

Viktor & Rolf 의 아이코닉한 Flowerbomb 향수병을 고전적인 스타일로 묘사한 이미지입니다. 그 주변에는 활기 넘치는 꽃들과 기쁨과 축하의 느낌을 향상시키는 부드럽고 확산되는 조명

DES.240521

Describe the image.

이미지를 묘사해보세요

The image depicting a perfume bottle labeled "Starkey HearingAids" against a vivid, abstract background painted with dynamic strokes in blue and red, creating a vibrant and lively aura. The impasto style painting adds depth and texture, suggesting movement and emotion.

선명하고 추상적인 배경에 '스타키 보청기'라고 적힌 향수병을 파란색과 빨간색의 역동적인 스트로크로 그려내 생동감 있고 생동감 넘치는 아우라를 연출한 이미지입니다. 임파스토 스타일의 그림은 깊이와 질감을 더해 움직임과 감정을 암시합니다.

스타키 보청기로 바꿔 봄

PROMPT240521

Create a stunning image in Gerard's Richter style that visually encapsulates the essence of "Pictura Fragrans" LLC for our Our Vision page. Do not include any perfume bottle. Incorporate the transformative power of scent, the meticulous composition of fragrances as a blend of art and science, and the company's mission to take people on olfactory journeys. Emphasize the harmonious fusion of the artistic, scientific, and humanitarian influences, portraying Pictura Fragrans as more than a perfume company--a symphony of life's experiences, an ode to the artful science of scent, and a commitment to enhancing lives through the powerful language of fragrance.

당사의 비전 페이지에 "Pictura Fragrans" LLC 의 본질을 시각적으로 요약하는 제라드 리히터 스타일의 멋진 이미지를 만들어 보세요. 향수병은 포함하지 마세요. 향기가 가진 변화의 힘, 예술과 과학이 조화를 이룬 세심한 향수 구성, 사람들을 후각 여행으로 안내한다는 회사의 사명을 담습니다. 예술적, 과학적, 인도주의적 영향의 조화로운 융합을 강조하여 픽투라 프라그란스를 단순한 향수 회사가 아닌 인생 경험의 교향곡, 향기의 예술적 과학에 대한 찬사, 향기라는 강력한 언어를 통해 삶을 향상시키기 위한 노력으로 묘사합니다.

회사의 제품을 나타내는 프롬프트였어요. 응용하시기 좋으실 듯해서 공유해드렸습니다. 한 번 다양하게 원하는 제품과 컨셉으로 만들어보세요

"Starkey Hearing Aid" LLC 의 본질을 시각적으로 요약하는 비전 페이지에서 멋진 Gerard Richter 스타일 이미지를 만드세요. 향수병을 포함하지 마십시오. 향기를 바꾸는 힘, 예술과 과학이 조화를 이루는 세심한 향수 구성, 그리고 사람들의 후각 여행을 안내하겠다는 기업의 사명을 담고 있습니다. 예술적, 과학적, 인도주의적 영향의 조화로운 융합을 강조하는 Pictura Fragrance 는 단순히 향수 회사가 아닌 삶의 경험의 교향곡, 예술적인 향기 과학에 대한 찬사, 강력한 언어를 통해 삶을 개선하려는 노력으로 묘사됩니다. 향기.

DES.240522

Describe the image

이미지를 묘사해보세요

TOTOJI240522DES.

This image shows a beautifully rendered scene of homesickness in a vibrant landscape of nature and freshness. The bottle of golden liquid is decorated with delicate sprays and surrounded by a whimsical dance of splashes, capturing moments of dynamic movement and energy. Scattered around are fresh limes and blooming flowers, especially daffodils and water lilies, suggesting a fresh, citrusy floral scent profile. The reflection of the water against the backdrop of lush greenery adds to the overall freshness and purity. The composition cleverly uses light and color to create a serene yet refreshing atmosphere and emphasizes perfume's connection to the natural world.

이 이미지는 자연과 신선함이 어우러진 생생한 풍경 속에서 향수병이 있는 아름답게 렌더링 된 장면을 보여줍니다. 황금빛 액체가 담긴 병은 섬세한 분무기로 장식되어 있으며, 물보라가 튀는 기발한 춤으로 둘러싸여 역동적인 움직임과 에너지의 순간을 포착합니다. 주위에는 신선한 라임과 활짝 핀 꽃, 특히 수선화와 수련이 흩어져 있어 신선하고 시트러스한 꽃 향기 프로필을 암시합니다. 무성한 녹지를 배경으로 반사되는 수면이 전체적인 신선함과 순수함을 더해줍니다. 이 구성은 빛과 색상을 교묘하게 사용하여 고요하면서도 상쾌한 분위기를 조성하고 자연 세계와 향수의 연결을 강조합니다.

PROMPT240522

Chanel santos una obra de argana eau azur, in the style of vray tracing, yellow and green, water drops, peter lippmann, high speed sync, orient-inspired, minolta riva mini

샤넬 산토스 우나 오브라 데 아르가나 오 아주르, 브이 트레이싱 스타일, 노란색과 녹색, 물방울, 피터 립만, 고속 동기화, 오리엔트 영감, 미놀타 리바 미니, 미놀타 리바 미니

여기서 주의 깊게 보실 표현은 고속 동기화 에요.

high speed sync 라는 표현으로 물방울(water drops)가 튀기는 표현이 자연스러운 것입니다.

다양하게 변경해보세요!

피터 립만, 고속 동기화, 오리엔트 영감, 미놀타 리바 미니,

미놀타 리바 미니: 이런 말 뜻은 무엇일까요?

피터 립만: 사진작가이름, 고속동기화: 사진 촬영 기법 (물방울 등이 공중에 떠있게 보이게 찍거나, 초밥이 공중에 떠있는 등의 촬영을 할 때 쓰는 기법). 오리엔트 영감: 동양적인.

미놀타 리바 미니: 촬영한 카메라입니다.

니카래인님, 친절하신 설명 너무 좋아요. 덕분에 알게 되었습니다. 무지 고맙습니다.

TOTOJI240522PROMPT

With "Una Obra de Argana aux Azur", vibrant and blue.

Dynamic 'V tracing' style that suggests movement and texture.

The colors are mainly yellow and green, with a polka dot motif.

The overall composition is inspired by Eastern aesthetics.

Images capture the essence of movement and clarity reminiscent of high-speed photography techniques.

"Una Obra de Argana aux Azur"로,

생동감 있고 푸른색

움직임과 질감을 암시하는 역동적인

'V 트레이싱' 스타일.

컬러는 노란색과 녹색을 중심으로

물방울 무늬를 모티브.

전체적인 구성은 동양의 미학에서

영감을 얻었습니다.이미지는 고속 사진 기술을 연상시키는 움직임과 선명함의 본질을 포착.

DES.240523

If you head to it, it's cosmetics... These are the shiny cosmetics I lik.

향하면 화장품이죠. 제가 좋아하는 반짝이는 화장품이에요 ^^

TOTOJI240523DES.

The Lipstick – A close-up photo of a lipstick with a unique design that stands out in color and texture.

Packaging – Complex packaging designs that appear to reflect and distort light in a visually appealing way.

Background Bokeh – A thumbnail that captures the bokeh effect that creates a dreamy soft-focus background, highlighting the context of the product within a wider range of light reflections.

더 립스틱 – 컬러와 질감이 돋보이는 독특한 디자인의 립스틱을 클로즈업한 사진

패키징 – 시각적으로 매력적인 방식으로 빛을 반사하고 왜곡하는 것처럼 보이는 복잡한 포장 디자인

배경 보케 – 몽환적인 소프트 포커스 배경을 만드는 보케 효과를 캡처하는 썸네일로, 더 넓은 범위의 빛 반사 내에서 제품의 맥락을 강조

PROMPT240523

Very close up realistic Lipstick and perfume, pastel rainbow, big shiny beautiful sparkle, pastel rainbow with iridescent glowing highlights, fantasy, shiny, opal, iridescent, glowing, shimmering, bright rococo style, scenic

매우 사실적인 립스틱과 향수, 파스텔 무지개, 큰 반짝이는 아름다운 반짝임, 무지개 빛깔의 빛나는 하이라이트, 판타지, 반짝이는, 오팔, 무지개 빛깔, 빛나는, 반짝이는, 밝은 로코코 스타일, 경치 좋은 파스텔 무지개

여기서 알아 두시면 좋을 표현은 엄청 가깝게 화장품을 찍었잖아요.

그때 사용되는 것이 very close up 이에요. 그리고 크게 반짝이는 아름다운 반짝임.

Big shiny beautiful sparkle 스타일은 밝은 로코코로

Bright rococo style 참고로 로코코 스타일은 고전적인 아름다움과 현대적 감각을 조화롭게 결합한 스타일이어요. 다른 말로는 late baroque 라고도 해요.

한 번 다양하게 바꿔 보세요 ^^

ps. 프롬프트를 하나씩 니카래인 작가님이 해석해 주셨는데 그것도 아주 좋은 것 같아요 ^^

니카래인작가님, 너무 친절하십니다. 전에 제가
몰랐을 때 질문 드렸는데 자세히 답변해 주셨어요.

Very realistic lipstick and perfume, pastel rainbow, big shiny beautiful sparkles, iridescent glowing highlights, fantasy, sparkling, opal, iridescent, glowing, sparkling, bright rococo style, scenic pastel rainbow, gorgeous, simple atmosphere

매우 사실적인 립스틱과 향수, 파스텔 무지개, 큰 반짝이는 아름다운 반짝임, 무지개 빛깔의 빛나는 하이라이트, 판타지, 반짝이는, 오팔, 무지개 빛깔, 빛나는, 반짝이는, 밝은 로코코 스타일, 경치 좋은 파스텔 무지개, 화려, 단순한 분위기

DES.240524

Describe the image

이미지를 묘사해보세요

TOTOJI240524DES.

Beautifully captured two vibrant tubes of lipstick emerging from the liquid, the product sparkles with moisture and sparkle. Photographed against a soft, blurry background in blue tones, the vivid pink color of the lipstick stands out even more. Water droplets and bubbles add a dynamic and refreshing feel to the product, making it moist and refreshing. Intended for commercial use to effectively demonstrate the appeal of the texture and color of the lipstick with "TOTOJI" engraved on the bottom of the product.

액체에서 나오는 두 개의 생동감 넘치는 립스틱 튜브를 아름답게 포착했으며, 제품은 수분과 반짝임으로 반짝. 블루 톤의 부드럽고 흐릿한 배경을 배경으로 촬영되어 립스틱의 생생한 핑크 컬러를 더욱 돋보임. 물방울과 거품이 제품에 다이나믹하고 산뜻한 느낌을 더해 촉촉하고 청량한 느낌. 제품 하단부위에 "TOTOJI"가 새겨진 립스틱의 질감과 색상의 매력을 효과적으로 보여주기 위해 상업용으로 의도.

PROMPT240524

A few photos of lipstick tubes and water, with a light pink and transparent texture style, anime aesthetics, interesting complexity, berry punk, gorgeous colors, 32k uhd, karol bak

밝은 분홍색과 투명한 질감 스타일, 애니메이션 미학, 흥미로운 복잡성, 베리 펑크, 화려한 색상, 32k UHD, 캐롤 박, 립스틱 튜브와 물의 몇 가지 사진

여기서 보실 부분은 투명한 질감 스타일(transparent texture style) 그리고 애니메이션 미학(anime aesthetics) 화려한 색상(gorgeous colors)에요. 미드저니는 이상하게 예쁘다는 말을 잘 모르더라고요. 그래서 beautiful 보다는 gorgeous 가 더 예쁘고 멋지게 나와요 ^^

다양하게 변형해보세요!

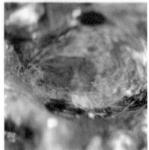
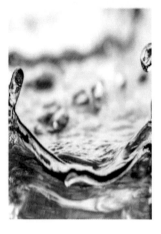

TOTOJI240524PROMPT

Bright pink and transparent texture style, animation aesthetic, interesting complexity, berry funk, gorgeous colors, 32k UHD, Carol Park, a few photos of the lipstick tube and water. "TOTOJI" engraved on the bottom of the product effectively captures the charm of the texture and color of the lipstick. Intended for commercial use, for display purposes only.

밝은 분홍색과 투명한 질감 스타일, 애니메이션 미학, 흥미로운 복잡성, 베리 펑크, 화려한 색상, 32k UHD, 캐롤 박, 립스틱 튜브와 물의 몇 가지 사진. 제품 하단부위에 "TOTOJI"가 새겨진 립스틱의 질감과 색상의 매력을 효과적으로 보여주기 위해 상업용으로 의도.

DES.240525

For women, nail art comes after cosmetics, right?

Shall we learn about nail art?

The weather is hot, so embrace the sea at least with your fingernails

Let's be cool!

여성에게는 화장품 다음이 네일 아트죠?

네일 아트에 대해서 알아볼까요?

날씨가 더우니 손톱이라도 바다를 품어서

시원해지자고요!

TOTOJI240525DES.

The image shows an intricately designed nail art set. The theme is hearing aids and includes a variety of elements including Type IIC, Type CIC and other Type ITC shapes. The nails create a deep-sea effect with a gradient of blue tones, and accents such as bubbles and small stars add a dynamic and realistic feel. Each hearing aid looks like a mini canvas depicting a different scene in the form, resulting in an artistic and thematic design. The glossy finish adds depth and clarity to the artwork on your nails.

이미지에는 복잡하게 디자인된 네일 아트 세트. 테마는 보청기이며 IIC 형, CIC 형 및 기타 ITC 형 모양을 포함한 다양한 요소가 포함되어 있습니다. 네일은 블루 톤의 그라데이션으로 심해 효과를 연출하고, 버블과 작은 별 등의 액센트를 더해 다이나믹하고 사실적인 느낌을 더했습니다. 각 보청기는 형태의 다양한 장면을 묘사한 미니 캔버스처럼 보이므로 예술적이고 주제가 있는 디자인이 됩니다. 광택 마감 처리로 손톱에 있는 아트웍의 깊이와 선명도가 향상됩니다.

PROMPT240525

nail art of whales, 🫷, 🫷, dynamic whales nail design, ocean, beautiful, transparent, water

고래 네일 아트🫷, 🫷, 동적인 고래 네일 디자인, 바다, 아름답다, 투명, 물

이렇게 이모지를 이용해서 예쁜 작품을 작성할 수 있어요. 다양한 이모지를 활용해서 만들어보세요 ^^

윈도우에서는 이모지를 표현하기 위해서 윈도우키 +.(마침표) 키를 누르시면 되요.

🖤 이모지로도 작품이 완성될 수 있다는 걸 첨 알았네요!!! 재밌을 것 같아요 @.@

이모지 사용 대박입니다. 감사합니다.

 ~^^* 😍😍😍😍😍

이모지사용법을 다시 한번 알려주셔요. 윈도우키 +. 를 누르고 나오는 창에서 고래라고 입력하면 되나요?

nail art of ARTS, 🐳, 🐳, dynamic ARTS nail design, ocean, beautiful, transparent, water

ARTS 네일 아트, 🐳, 🐳, 다이나믹한 ARTS 네일 디자인, 바다, 아름다운, 투명한, 물

Speaking of men's cosmetics... ^^;;

남성 화장품 이야기하셔서... ^^;;

안정환 닮은 듯 ㅋㅋㅋㅋ

저도 그 생각. 장동건도 섞인 듯... 그래서인지 만들 때도 그 중에선 예시와 비슷한 얼굴 쪽으로 선택하게 되더라구요^^

요즘 애들은 안정환 닮았다는 말을 이해 못할 수도... ㅎㅎㅎㅎ 예전에는 진짜 화장품 광고모델이었는데!

내 사진이 여기에...

그러게요!

저기 손가락사이에 담* 포토샵으로 지운것 같은 느낌은 저만 그런가요? ㅎㅎ

TOTOJI240526DES.

A pretty woman resembling Annie Young, 22, with a stylish, textured hairstyle holds a yellow spray bottle in her right hand. Added black text "TOTOJI" to the center of the bottle. She wore a black turtleneck and a textured scarf with a leather jacket on her shoulders. The background includes a rustic pink brick wall, adding to the urban, modern feel. This may imply an advertisement or promotional material for a fashion or beauty product. Draw an advertising poster

세련되고 질감이 있는 헤어 스타일을 한 22 세 애니영과 닮은 예쁜 여인이 오른쪽 손에 노랑색 스프레이 병을 들고 있는 모습. 병 중앙에 "TOTOJI" 검정색 글씨 추가. 그녀는 검은색 터틀넥과 질감이 있는 스카프를 입고 어깨에 가죽 재킷. 배경에는 소박한 핑크색 벽돌 벽이 포함되어 있어 도시적이고 현대적인 느낌을 더해줍니다. 이는 패션이나 미용 제품 광고 또는 판촉 자료를 암시할 수 있습니다. 광고 포스터.

PROMPT240526

A young Korean man, holding a small cylindrical bottle of men's facial cosmetics with his right hand, black bottle, commercial photography, black rock, volcanic rock.

오른손으로 남성용 얼굴 화장품의 작은 원통형 병을 들고 있는 젊은 한국인 남성, 검은 병, 상업 사진, 검은 바위, 화산 바위.

이렇게 만들었어요.

한 번 다양하게 바꿔보세요!

TOTOJI240526PROMPT

Smiling young Korean man in dark blue suit holding in his right hand a small cylindrical bottle of men's facial cosmetics, yellow bottle, "TOTOJI" text engraved on the bottle. Commercial photo, blue sky background.

오른손으로 남성용 얼굴 화장품의 작은 원통형 병을 들고 있는 남색 정장을 입은 젊은 한국인의 미소 띤 남성, 노랑색 병, 병에는 "TOTOJI" 문자 새겨 짐. 상업 사진, 푸른 하늘색 배경.

Describe the image

이미지를 묘사해보세요

Here is the image depicting an extensive makeup product collection organized on a vanity with ample lighting, including various types of cosmetics displayed on clear acrylic organizers. The setting is designed for a professional makeup environment, complete with ring light and additional directional lighting.

투명 아크릴 정리함에 진열된 다양한 종류의 화장품을 포함하여, 충분한 조명이 있는 화장대에 정리된 광범위한 메이크업 제품 컬렉션을 묘사한 이미지입니다. 이 설정은 전문적인 메이크업 환경을 위해 설계되었으며 링 라이트와 추가 방향 조명이 완비되어 있습니다.

PROMPT240527

Flat lay photography of makeup kit in a beige background

베이지색 배경의 메이크업 키트 평면 사진 촬영

복잡하게 적으셨는데. Flat lay photography of 만 쓰시면 쉽고 간단하게 작성이 가능합니다.

in a (색상) background 이렇게 적으시면 배경색도 간단하게 지정이 되고요.

TOTOJI240527PROMPT

Makeup kit flat photo shoot on light yellow background

옅은 엘로우색 배경의 메이크업 키트 평면 사진 촬영

DES.240528

This time it's a flower.

The scenario is that a woman smells so nice that you imagine it. Is it perfume? Is it cosmetic? Is it nail art? How would I be perceived if I had a great scent? Is it better to buy cosmetics? I thought about it like this... Then, I thought flowers were simple, so I looked for flowers with a scent I liked ^^;;

이번엔 꽃입니다.

시나리오는 여자분에게 너무 좋은 향기가 나서 상상을 해 보는 거에요. 향수일까? 화장품일까? 네일 아트일까? 내가 멋진 향을 가지고 있다면 어떤 식으로 비춰 칠까? 화장품을 사는 게 나은가? 이런 식으로 고민해본 거죠. 그러다가 꽃이 간단하다고 생각해서 마음에 드는 향이 나는 꽃을 찾아 보는 거에요 ^^;;

TOTOJI240528DES.

The image appears to be a digital artwork featuring stylized abstract flowers. Rendered in soft shades of pink and light pink, it features flowing, overlapping lines that simulate the delicate structure of petals. The gradient effect gives the composition depth and three-dimensionality, and the translucent texture of the lines adds lightness and fluidity. This type of artwork is typically used for graphic design, backgrounds for wallpapers, or visual presentations that require a soft, artistic touch.

이미지는 양식화된 추상적인 꽃이 특징인 디지털 예술 작품인 것 같습니다. 핑크와 라이트 핑크의 부드러운 색조로 렌더링되었으며, 꽃잎의 섬세한 구조를 시뮬레이션하는 흐르는 듯한 오버랩 라인이 특징입니다. 그라데이션 효과는 구성의 깊이와 입체감을 주고, 선의 반투명한 질감은 경쾌함과 유동성을 더해줍니다. 이러한 유형의 아트워크는 일반적으로 그래픽 디자인, 배경 화면의 배경 또는 부드럽고 예술적인 터치가 필요한 시각적 프레젠테이션

PROMPT240528

A soft pink gradient background with delicate, flowing lines that form the shape of an abstract flower petal. The petals have subtle gradients and shimmer in various shades from light to dark pink. There is a large center where negative space creates visual depth. This design would be suitable for romantic or feminine themes, such as wedding, illustrated in the style of white background.

부드러운 핑크 그라데이션 배경에 섬세하고 흐르는 듯한 선이 추상적인 꽃잎 모양을 형성합니다. 꽃잎은 미묘한 그라데이션이 있으며 밝은 분홍색에서 진한 분홍색까지 다양한 색조로 반짝입니다. 네거티브 스페이스가 시각적 깊이를 만들어내는 큰 중앙이 있습니다. 이 디자인은 결혼식과 같은 로맨틱하거나 여성스러운 테마에 적합하며 흰색 배경 스타일로 그려져 있습니다.

여기서 알아 두서야 할 표현은 섬세하고 흐르는 듯한 선이 추상적인 꽃잎 모양이에요.

with delicate, flowing lines that form the shape of an abstract flower petal

우리가 한복을 이야기할 때 몸의 선을 따라 흐르는 듯한 재질이란 표현을 하잖아요. 그런 식으로 생각하면 좋으실 듯해요.

그리고 네거티브 스페이스가 시각적 깊이를 만들어내는 큰 중앙이란 표현도 같이 알아 두시면 좋으실 듯합니다.

There is a large center where negative space creates visual depth

마지막으로 이 디자인은 어떤 느낌이고 어떤 테마에 적합하다고 하면 좀 더 풍성한 느낌을 내실 수 있을 거에요. 다양하게 표현해보세요 ^^

Delicate, flowing lines form abstract petal shapes on a soft light green gradient background. The petals have a subtle gradient and sparkle in a variety of shades from light to dark pink. It has a large center where negative space creates visual depth. This design is suitable for romantic or feminine themes such as weddings and is drawn in a white background style.

부드러운 연두 빛 그라데이션 배경에 섬세하고 흐르는 듯한 선이 추상적인 꽃잎 모양을 형성합니다. 꽃잎은 미묘한 그라데이션이 있으며 밝은 분홍색에서 진한 분홍색까지 다양한 색조로 반짝입니다. 네거티브 스페이스가 시각적 깊이를 만들어내는 큰 중앙이 있습니다. 이 디자인은 결혼식과 같은 로맨틱하거나 여성스러운 테마에 적합하며 흰색 배경 스타일로 그려져 있습니다

DES.240529

Describe the image!

I brought you another flower image.

Express yourself freely!

TOTOJI240529DES.

Vivid and expressive use of color and form creates a modern, semi-abstract interpretation of floral imagery. The colors are bright and dynamic, from deep reds to vibrant yellows and soft blues, all arranged in bold, sweeping strokes that suggest movement and life. The leaves and petals are stylized yet retain a recognizable shape, further enhancing the floral theme. The background features the outlines of brighter, almost ethereal plants, adding depth and contrast to the more vividly colored foreground elements.

색상과 형태를 생생하고 표현력이 풍부하게 사용하여 꽃 이미지에 대한 현대적이고 반 추상적인 해석을 구현합니다. 색상은 짙은 빨간색부터 생동감 넘치는 노란색, 부드러운 파란색까지 밝고 역동적이며, 모두 움직임과 생명을 암시하는 대담하고 전면적인 획으로 배열되어 있습니다. 잎과 꽃잎은 양식화되어 있으면서도 알아보기 쉬운 모양을 유지하여 꽃 테마를 더욱 돋보이게 합니다. 배경은 더 밝고 거의 영묘한 식물의 윤곽을 특징으로 하며 보다 생생한 색상의 전경 요소에 깊이와 대비를 추가합니다.

PROMPT240529

The painting is in white, in the style of light orange and turquoise, art nouveau floral motifs, minimalist still life, monumental ink paintings, yellow and orange, illustration, light turquoise and light crimson

그림은 흰색, 밝은 주황색과 청록색, 아르누보 꽃 모티브, 미니멀 한 정물, 기념비적 인 수묵화, 노란색과 주황색, 일러스트레이션, 밝은 청록색 및 밝은 진홍색 스타일로 되어 있습니다.

프롬프트를 드리는 게 의미가 있을까 싶을 정도로 이미지를 보고 만드신 것이 더 멋지네요.

프롬프트에서 주의 깊게 보셔야 할 표현은 대부분 스타일을 이야기하면 수묵화, 풍경화 이런 식으로 표현했지만 색상, 작가 모티브, 작품 스타일 이렇게 만드실 수 있다는 것입니다.

그리고 좀 더 강조해야 하는 경우는 색상을 2 번 적어 주시면 보다 더 잘 표현해줘요. 다양하게 만들어보세요 ^^

✿ 아르누보 개요 프랑스 어로 새로운 미술이란 뜻인 아르누보는 19 세기 말과 20 세기 초에 유럽 전역에서 번창한 예술, 건축, 디자인 운동입니다. 자연에서 영감을 받아 흐르는 유기적인 형태의 사용으로 특징지어졌으며, 특히 덩굴풀이나 담쟁이, 나뭇잎, 꽃 등의 자연적인 요소에서 영감을 받았습니다.

🎨 아르누보의 특징 아르누보는 곡선, 꽃 무늬, 유기적인 형태, 자연스러운 재료 사용 등 다양한 특징을 가지고 있습니다. 또한 장식적인 요소, 비대칭적인 구성, 새로운 기술과 재료의 사용 등이 특징입니다.

TOTOJI240529PROMPT

This vibrant work is inspired by watercolor and is characterized by flexible and dynamic use of color and form. The painting features a series of floral elements bursting with a vibrant palette of orange, yellow, red, and turquoise contrasted with soft colors that suggest depth and movement. The boldness of flowers, expressed in a stylized manner, evokes energy and spontaneity, adding a modern twist to traditional floral art. Art Nouveau floral motif. The varying saturation and dripping effects enhance the impressionistic feel, making the composition vibrant and visually appealing. Throughout, it celebrates color and form, beautifully blending abstract and expressive elements.

수채화에서 영감을 받아 생동감 넘치는 작품으로, 색상과 형태를 유연하고 역동적으로 사용하는 것이 특징입니다. 이 그림은 깊이와 움직임을 암시하는 부드러운 색상과 대조되는 주황색, 노란색, 빨간색, 청록색의 생생한 팔레트로 터져 나오는 일련의 꽃 요소를 특징으로 합니다. 양식화된 방식으로 표현된 꽃의 대담함은 전통 꽃 예술에 현대적인 감각을 더해 에너지와 자발성을 불러일으킵니다. 아르누보 꽃 모티브. 다양한 채도와 떨어지는 효과는 인상주의적인 느낌을 강화하여 구성을 생동감 있고 시각적으로 매력적으로 만듭니다. 전반적으로 색상과 형태를 축하하며 추상적인 요소와 표현적인 요소를 아름답게 혼합합니다.

DES.240530

Describe the image!

The challenge is already over tomorrow, the day after tomorrow ^^

So, the image of entering the final stage is

I prepared it ^^

Feel free to make it once!

이미지를 묘사해보세요!

벌써 내일, 모레면 챌린지가 끝나네요 ^^

그래서 마무리 단계에 접어드는 이미지를

준비해봤어요 ^^

한 번 자유롭게 만들어보세요!

TOTOJI240530DES.

Capturing the essence of nostalgia and tranquility through the depiction of a young girl contemplating an old door, surrounded by wildflowers and butterflies.

야생화와 나비에 둘러싸여 오래된 문을 고민하는 어린 소녀의 묘사를 통해 향수와 평온함의 본질을 포착합니다.

야생화와 나비에 둘러싸인 채 낡은 문을 생각하는 어린 소녀의 모습을 통해 향수와 평온의 본질

PROMPT240530

Drawing + watercolor illustration of YOUNG Girl with pigtails facing a tall old brick wall overgrown with PRETTY flowers and plants and butterfliesand a little robin WITH An open SMALL ARCHED DOOR entering secret garden on other side through a small ARCHED wooden door the same height as her in the style of whimsical children's book illustrator, dark beige and orange, warm tones, free brushwork, captivating portraits, animated gifs, folkloric portraits

예쁜 꽃과 식물과 나비로 자란 키가 큰 오래된 벽돌 벽을 향한 땋은 머리를 가진 어린 소녀의 그림 + 수채화 일러스트와 기발한 어린이 책 일러스트레이터 스타일, 어두운 베이지와 오렌지, 따뜻한 톤, 자유로운 브러시 워크, 매혹적인 초상화, 애니메이션 GIF, 민속 초상화, 작은 로빈이 그녀와 같은 높이의 작은 아치형 나무 문을 통해 다른 쪽의 비밀 정원으로 들어가는 열린 작은 아치형 문이 있습니다.

여기서 보시면 좋을 표현은

그림과 수채화 기법을 함께 쓰기 위해서 drawing + watercolor illustration 이라고 쓴 부분입니다.

그리고 다시 한번 기발한 어린이 책 일러스트 라고 다시 한번 알려준 부분이죠(in the style of whimsical children's book illustrator) 그 뒤에 색상을 넣는 겁니다.

마지막으로 민속 초상화(folkloric portraits)와 애니메이션 GIF(animated gifs)라고 적으면 총 5개의 스타일이 적용된 그림이 되는 겁니다.

구도를 보실 때도 벽돌 벽을 향했다고 하면 (facing) 자연스럽게 뒤를 돈 모습이 됩니다.

그리고 중요한 것은 강조하는 느낌으로 대문자를 이용해주시면 더욱 표현이 잘 됩니다.

다양하게 만들어보세요 ^^

TOTOJI240530PROMPT

Drawing + watercolor illustration of YOUNG Girl with pigtails facing a tall old brick wall overgrown with PRETTY flowers and plants and butterfliesand a little robin WITH An open SMALL ARCHED DOOR entering secret garden on other side through a small ARCHED wooden door the same height as her in the style of whimsical children's book illustrator, dark beige and orange, warm tones, free brushwork, captivating portraits, animated gifs, folkloric portraits

예쁜 꽃과 식물과 나비로 자란 키가 큰 오래된 벽돌 벽을 향한 땋은 머리를 가진 어린 소녀의 그림 + 수채화 일러스트와 기발한 어린이 책 일러스트 레이터 스타일, 어두운 베이지와 오렌지, 따뜻한 톤, 자유로운 브러시 워크, 매혹적인 초상화, 애니메이션 GIF, 민속 초상화, 작은 로빈이 그녀와 같은 높이의 작은 아치형 나무 문을 통해 다른 쪽의 비밀 정원으로 들어가는 열린 작은 아치형 문이 있습니다.

Describe the image!

Did you have a pleasant journey?

They say it's hard work once you leave home.

Still, I learned and felt a lot.

Did you enjoy it?

This trip is already over.

Dolppu travel guide will help you with another trip.

Thank you for your hard work ^^

여행은 즐거우셨나요?

일단 집떠나면 고생이라고 하는데

그래도 많이 배우고 느끼면서

즐거우셨죠?

벌써 이번 여행은 끝이 나네요.

Dolppu 여행가이드님이 또 다른 여행을 위해서 도와주실거에요. TOTOJI 의 친구에요!

그동안 고생 많으셨어요 ^^

TOTOJI240531DES.

Here is the illustration of a futuristic virtual avatar, depicted in a vivid setting with warm neon lights. The avatar is wearing headphones and a shirt clearly labeled "TOTOJI AIARTIST," suggesting activities like listening to music, gaming, or participating in a virtual meeting. This setting enhances the modern and dynamic atmosphere.

따뜻한 네온 불빛과 함께 생생한 배경으로 묘사된 미래형 가상 아바타의 일러스트입니다. 아바타는 헤드폰과 "TOTOJI AIARTIST"라고 명확하게 표시된 셔츠를 착용하고 있으며 음악 감상, 게임, 가상 회의 참여 등의 활동을 제안합니다. 이 설정은 현대적이고 역동적인 분위기를 더욱 돋보이게 합니다.

PROMPT240531

An A.I. help desk employee named Dolppu. friendly face, quirky rectangle name batch. she is a VTO (Virtual Tourist Officer). In style of Pixar, (with the text: "Dolppu VTO")

돌푸라는 이름의 인공지능 헬프데스크 직원. 친근한 얼굴, 기발한 직사각형 이름 배치. 그녀는 VTO(가상 관광 안내원)입니다. 픽사 스타일로, (텍스트: "돌푸 VTO")

여기서 알아두면 좋으실 표현은 제가 임의로 VTO 라는 직책을 만들었고요.

VTO 가 어떤 역할인지도 안내를 해 두었습니다. 그리고 이름이 직사각형 배치에 있다고

quirky rectangle name batch 이렇게 적어두었고요.

텍스트를 표현한 것은 (with the text: "Dolppu VTO") 입니다.

중요한 부분은 ( )로 그리고 텍스트를 표현할 때는 " " 안에 넣으시면 더 잘 만들어줍니다.

한 번 자유롭게 만들어보세요!

TOTOJI240531PROMPT

An A.I. help desk employee named TOTOJI. friendly face, quirky rectangle name batch. he is a VTO (Virtual Tourist Officer). In style of Pixar, (with the text: "TOTOJI VTO")

AI. TOTOJI 라는 헬프 데스크 직원입니다. 친근한 얼굴, 기발한 직사각형 이름 배치. 그는 VTO(Virtual Tourist Officer)입니다. Pixar 스타일로(텍스트: "TOTOJI VTO" 포함)

마치며

Novaedu 및 TOTOJI 와 함께 30 일 AI 아트 챌린지를 완료한 것을 축하합니다! 지난 한 달 동안 귀하께서는 창의성과 최첨단 기술을 결합한 독특한 여정을 시작하셨습니다. 이 프롬프트 챌린지는 일련의 흥미롭고 상호작용적인 단계를 통해 초보자에게 AI 생성 예술의 매혹적인 세계를 소개하기 위해 고안되었습니다.

이 챌린지를 통해 다음을 수행할 수 있습니다.

Novaedu 가 주는 이미지 받기: Novaedu 는 매일 귀하의 창작 과정을 시작할 수 있는 새롭고 영감을 주는 이미지를 제공했습니다.

프롬프트가 포함된 설명 이미지: 이러한 이미지를 사용하여 설명 프롬프트를 만드는 기술을 연마했습니다. 이 단계는 시각적 요소를 자세한 텍스트 설명으로 변환하는 방법을 배우는 데 중요했습니다.

프롬프트에서 생성된 아트: 사용자가 제작한 프롬프트를 사용하여 AI 모델이 새로운 이미지를 생성했습니다. 이 단계에서는 설명을 기반으로 예술 작품을 해석하고 재현하는 AI 의 놀라운 능력을 보여주었습니다.

제공된 프롬프트 작업: Novaedu 는 초기 이미지를 생성하는 데 사용된 원본 프롬프트를 제공하여 사용자가 자신의 설명과 비교하고 대조할 수 있도록 했습니다.

새 창작물을 위한 변형된 프롬프트: 마지막으로 제공된 프롬프트를 선택하고 TOTOJI 의 안내에 따라 창의적으로 수정했습니다. 이는 새롭고 독특한 예술 작품의 탄생으로 이어졌고, 예술 과정에서 AI 의 다양성과 잠재력을 보여주었습니다.

지난 30 일을 되돌아보며 AI 를 예술에 얼마나 이해하고 활용했는지 생각해 보세요. 귀하는 창의성과 기술을 결합하여 미래 프로젝트에 대한 무한한 가능성을 열어주는 새로운 기술 세트를 개발했습니다.

이 여정은 예술적 지평을 넓혔을 뿐만 아니라 아이디어를 시각적 걸작으로 바꾸는 AI 의 힘을 보여주었습니다. 계속해서 스스로 AI 예술을 탐색하든, 새로 발견한 지식을 다른 사람과 공유하든, 창작 과정은 지속적인 모험이라는 점을 기억하세요.

이 흥미로운 도전에 동참해 주셔서 감사합니다. 우리는 여러분이 이 경험을 즐기셨기를 바라며 AI 생성 예술 세계에 대한 지속적인 관심을 불러일으켰기를 바랍니다. 계속 실험하고, 계속 창조하고, 가장 중요한 것은 예술 작품을 계속 재미있게 즐겨보세요.

즐겁게 만들어 보세요!

도움 주신 분들

한국AI작가협회 회원분들
Jhonspie: AI Multi_artist tutorage, KAAA Director
SunnyJ: AI Picture Book Artist, KAAA Director
김예은: 교육전문가 Supervision, KAAA Chairwoman
Dolppu : KAAA Community Manager
MKYU: 김미경 학장님, 514챌린지 19, 21번, 서울북부방
김동석: AI브랜딩 연구소장님과 라브연 선생님
손유미: 한자의 깨알 재미 샘과 수미챌 수미님들
이진호: 성공습관 코칭연구소 원장님
어윤재: 공학박사 뉴미디어능력개발원㈜ 대표이사
김미영: Adobe박사님 더조은컴퓨터아카데미 전주
연삼흠: 코리안투데이 대표이사
변아롱: 책 표지 디자인, 내지 편집 디자인
WIFE: 정체성세라피나
FAMILY: 지태섭요셉, 조금옥율리안나,
        정용선, 최희순모니카,
        지정민케루비나, 김현욱, 김지안,
        지상욱미카엘, 정지예유스티나,
        지영상라파엘.

끊임 없는 지도와 응원, 주님의 은총으로 완성할 수 있음에 감사합니다!
이 책이 AI를 활용하여 작가님들이 그림을 그리는데 있어 프롬프트를
어떻게 만들어야 AI와 대화를 할 수 있는지에 도움되길 희망하며,
우리들은 주변에 어려움을 겪는 분들이 없는지를 살펴보고,
조금만이라도 이해와 포용하는 마음으로 동행하기를 바랍니다.

참고 AI

AskUp, Bard, Bing, chatGPT, Midjourney, MiriCanvas, NightCafe Creator, Phototshop, Que, Stable Diffusion, ;wrtn 등

Novaedu 프롬프트로 그리는 AI 그림
(AI 그림, 토토지와 함께 펼쳐봐!)

발행일 2024년 07월 23일

지은이 지승주 (TOTOJI), 김예은(Novaedu)

펴낸이 한건희

디자인 지승주

펴낸곳 ㈜부크크 서울시 금천구 가산디지털로 119 SK트윈테크 타워 A동 305-7호

출판사등록 | 2014.07.15(제2014-16호)
대표전화 1670-8316

㈜부크크 홈페이지 https://bookk.co.kr/

이메일 | info@bookk.co.kr
ISBN | 979-11-410-3295-1
Copyright ⓒ 2024 지승주 & BOOKK Co., Ltd.